nivel **A2** audiolibro **colección marca españa**

Cocina

COLECCIÓN MARCA ESPAÑA

Autor: Gorka Álvarez
Coordinación editorial: Clara de la Flor
Supervisión pedagógica: Emilia Conejo
Glosario y actividades: Emilia Conejo
Diseño y maquetación: rosacasirojo
Corrección: Rebeca Julio
Traducción del glosario: Séverine Battais y Claudia Zoldan (francés), Brian Brennan (inglés),
Susanne Nicolaus (alemán)
Fotografía de cubierta: Mollejas y bogavante del restaurante Can Fabes
Fotografías: Gorka Álvarez, Ángela de las Heras, La Casona del Sella, Raúl de la Flor
Vídeo: BALABUSCA
Locución: Cristina Carrasco
Sonidos: trip2000/thefreesoundproject, dobroide/thefreesoundproject, rutgermuller/
thefreesoundproject, YngwieM/thefreesoundproject, delphidebrain/thefreesoundproject,
anemicrose/thefreesoundproject, Robinhood76/thefreesoundproject

Todos los sonidos de The Freesound Project están sujetos a una licencia de Creative
Commons Sampling Plus 1.0 by MTG (UPF).

Reimpresión: junio 2012

Índice

Índice de recetas

Cocina del restaurante Can Fabes del cocinero Santi Santamaria

Marca España
Cocina

«Yo utilizo la cocina como lenguaje, pero la pasión está en la creatividad»

Ferran Adrià

Cómo trabajar con este libro

Marca España es una serie de lecturas sobre temas de la cultura, la economía y la sociedad española. Cada libro aporta un panorama general sobre el tema en cuestión, que incluye su historia y la situación actual, y se acompaña de un vídeo que ilustra una o varias de las secciones analizadas en el libro.

Para facilitar la lectura, al principio del libro aparece un glosario básico de términos de cocina en castellano «Cocina de la *A* a la *Z*». Además, al final de cada página se incluye un glosario en español de las palabras y expresiones más difíciles, y al final del libro, un glosario de todas ellas traducidas al inglés, francés y alemán.

A lo largo del texto se han marcado en color verde algunas palabras y expresiones que hacen referencia a aspectos culturales del mundo del español. Estos se recogen y se explican en la sección de notas culturales que aparece al final del libro.

El libro termina con una sección de actividades que tiene la siguiente estructura:

a) «Antes de leer». **Recomendamos realizar las actividades de esta sección antes de empezar a leer el texto**, ya que ayudarán a activar los conocimientos que tiene el lector sobre el tema y facilitarán la comprensión.

b) «Durante la lectura». Son **actividades destinadas a pautar la comprensión** de los diferentes capítulos.

c) «Después de leer». Se trata de propuestas variadas que **permiten poner en práctica la comprensión auditiva y de lectura, la expresión oral y escrita, la interacción oral y escrita y la mediación**. Tienen un carácter predominantemente abierto para que el propio lector (o el profesor que lee el libro con sus alumnos) pueda decidir cómo trabajar con ellas según sus necesidades. En muchas de ellas se propone un repaso al contenido del libro. En cada caso, **el lector puede decidir si vuelve a leer el fragmento en cuestión o prefiere escuchar la grabación del CD correspondiente**. Igualmente, puede decidir si hace las actividades por escrito o de forma oral, en interacción con otros hablantes.

d) «Vídeo». Esta sección contiene **propuestas para trabajar la comprensión audiovisual con el vídeo** que está incluido en el CD.

e) «Léxico». Actividades para **la sistematización, la profundización y la ampliación del vocabulario**. Se tiene en cuenta que cada hablante tiene unos intereses y un bagaje personal específicos. Por eso se proponen especialmente actividades de carácter abierto y que favorecen el aprendizaje estratégico.

g) Por último, la sección «Internet» propone **páginas web interesantes** para seguir investigando.

Introducción

La cocina española vive hoy un buen momento. Algunos de sus cocineros están entre los mejores del mundo y varios de los mejores restaurantes del planeta están también en el país. Y es que en España la gastronomía[1] ha sido siempre muy importante y la cocina tiene una larga tradición. Esta ha sido fundamental para su éxito[2] actual. Otra de las razones de la buena salud de la cocina española contemporánea es la excelente calidad de sus materias primas[3], que la sociedad cuida e intenta mejorar cada día. Un tercer factor es que en España la cocina se vive. El acto de comer es la mejor manera de relacionarse y ha pasado de ser una simple necesidad biológica a un placer cotidiano[4]. Una de las mejores maneras de celebrar cualquier acontecimiento[5] en España es organizar una buena comida. Incluso los negocios se suelen[6] cerrar así. El acto de comer, en España, refleja por lo tanto una forma de entender la vida.

Algunas de las costumbres más típicas han traspasado las fronteras del país y han dado la vuelta al mundo. Es el caso de las famosas tapas. Si alguien busca la palabra *tapa* en un diccionario de

---

GLOSARIO

[1] **gastronomía**: arte de preparar una buena comida [2] **éxito**: (aquí) reconocimiento, prestigio [3] **materias primas**: (aquí) ingredientes, productos básicos [4] **cotidiano**: del día a día [5] **acontecimiento**: hecho importante [6] **soler**: hacer algo con frecuencia

español, encontrará la siguiente definición: «Pieza[7] que cierra por la parte superior cajas[8] o recipientes[9]». Y, efectivamente, una de las teorías sobre el origen de esta costumbre dice que, antiguamente, el vino se servía siempre acompañado de un pequeño plato con un trozo de embutido[10]. El plato servía para tapar[11] el vaso e impedía[12] la entrada de moscas[13] o polvo[14]. A este plato se lo llamaba *tapa*. Este término dio origen al verbo *tapear*, que significa 'tomar tapas en bares y tabernas'. Además, tapear o ir de tapas es una costumbre que ha sobrevivido al paso de los años y que se ha convertido en una manera de convivir, de encontrarse en la calle con los amigos y de entender el ocio[15] unido a la gastronomía. Por supuesto[16], la tradición del tapeo solo es posible gracias a la gran cantidad de bares y tabernas que hay en todas las ciudades del país.

Una última característica de la cocina española es su gran variedad. La geografía y el clima cambian mucho de una región a otra y esto influye en las cocinas regionales: en los alimentos que se preparan y en la forma de cocinarlos. Las diferencias geográficas y climáticas entre las regiones españolas se reflejan por lo tanto en las tradiciones gastronómicas regionales.

GLOSARIO

[7] **pieza**: parte o componente de una cosa que encaja con otra [8] **caja**: recipiente con tapa que sirve para guardar cosas [9] **recipiente**: objeto que sirve para guardar algo [10] **embutido**: tripa rellena con carne picada, normalmente de cerdo [11] **tapar**: cubrir [12] **impedir**: evitar [13] **mosca**: insecto negro con alas [14] **polvo**: cantidad de tierra muy pequeña que se deposita sobre los objetos [15] **ocio**: actividades de tiempo libre [16] **por supuesto**: naturalmente

Cocina de la *A* a la *Z*

Para entender las recetas de este libro, te resultarán útiles algunas de las palabras propias del mundo del cocina.

a fuego lento: a baja temperatura
a fuego vivo: a temperatura muy alta
asar: cocinar un alimento al horno
batir: agitar, mover con fuerza para mezclar bien
caldo: líquido que se obtiene al cocer los alimentos
cazuela: cazo, olla
colar: filtrar una pasta o un líquido para separar los grumos o pedazos más grandes
cocer: cocinar un alimento en agua muy caliente
congelar: conservar alimentos por debajo de los 0 ºC
cortar en cachelos: cortar las patatas de forma irregular, una parte cortando con el cuchillo y la otra rompiendo las patatas con ayuda de la mano
cortar en dados: cortar en trozos con forma cuadrada
cortar en tiras: cortar en trozos alargados
cucharada: cantidad de comida que cabe en una cuchara
dar la vuelta: invertir por completo
dorar: freír en aceite para dar un color dorado o tostado
escurrir: eliminar los restos de un líquido
espesar: hacer algo más espeso o consistente
espolvorear: esparcir una cosa hecha polvo sobre otra
espumadera: utensilio de cocina con mango y agujeros para sacar los alimentos y escurrir el líquido que sobra
freír: cocinar algo con aceite caliente

guiso: comida cocinada al fuego
hervir: calentar el agua hasta 100 ºC
machacar: aplastar, moler
majado: mezcla que se prepara en el mortero
mortero: recipiente de madera o metal en el que se machacan los ajos y otros ingredientes
olla: cazo, recipiente de metal donde se cocina
pegarse: adherirse
pelar: quitar la piel de un alimento
picar: cortar en trocitos muy pequeños
pizca: cantidad muy pequeña
precalentar: encender para calentar antes de meter los alimentos
rebanada: porción delgada, ancha y larga que se saca de una cosa, especialmente del pan, cortando de un extremo al otro
regar: echar un líquido sobre algo
rehogar: freír ligeramente un alimento para impregnarlo de la grasa y los ingredientes con los que se condimenta
remojo (poner en): dejar un alimento en un recipiente con agua para ablandarlo
remover: mover con una cuchara o similar
reposar: descansar
rodaja: pedazo de alimento cortado en forma de rueda
sacar: extraer
salar: añadir sal
sartén: recipiente de cocina, generalmente de metal, de forma circular, poco hondo y con mango largo, que sirve para cocinar
sofrito: condimento que se añade a un guiso, compuesto por varios ingredientes fritos en aceite, especialmente cebolla, ajo y tomate
tostar: dorar la superficie de un alimento
triturar: moler o desmenuzar hasta conseguir una pasta
trocear: cortar en trozos
untar: extender una sustancia o pasta sobre una superficie

Comunidad autónoma: Galicia
Situación geográfica: noroeste de la península ibérica
Provincias: La Coruña, Lugo, Orense y Pontevedra
Capital: Santiago de Compostela
Población: 2 800 000 habitantes

🎧 pista 02

1. Galicia

El límite natural de Galicia es el mar. Antiguamente se creía que ahí se terminaba la Tierra, que no había nada más allá del cabo[1] Finisterre. Los dos idiomas oficiales de Galicia son el español y el gallego. El gallego, que es muy similar al portugués, es lengua oficial desde 1978, año en que se aprobó la primera constitución democrática de España.

¿Sabías que...? Galicia no ha sido nunca una zona industrial importante. Su actividad económica se ha basado tradicionalmente en la pesca[2], la ganadería[3] y la agricultura. Por eso, a lo largo de su historia muchas personas han tenido que emigrar para buscar trabajo. Durante el siglo XIX y especialmente una parte del XX hubo varias olas de emigración hacia Latinoamérica. Allí se establecieron muchos gallegos para comenzar una nueva vida. Por eso hoy en día en Latinoamérica a los españoles se los llama todavía «gallegos».

Algo que destacar: Galicia es internacionalmente conocida por el Camino de Santiago (declarado Patrimonio de la Humanidad[4] por la UNESCO). Se trata de una ruta[5] de peregrinación[6] que tiene su origen en la Edad Media[7] y que está formada por varios caminos que

---

GLOSARIO

[1] **cabo**: lengua de tierra que se mete en el mar [2] **pesca**: actividad u oficio que consiste en sacar peces del agua [3] **ganadería**: actividad que se ocupa del cuidado del ganado, es decir, los grupos de vacas, ovejas o cabras [4] **Patrimonio de la Humanidad**: título que da la UNESCO a sitios de interés cultural excepcional [5] **ruta**: camino [6] **peregrinación**: viaje que se realiza normalmente a pie, por motivos religiosos o espirituales [7] **Edad Media**: período histórico de la civilización occidental comprendido entre los siglos V y XV

recorren distintas partes de Europa en dirección a Santiago de Compostela. Allí se encuentran las reliquias[8] del apóstol[9] Santiago el Mayor.

Gastronomía

Galicia es una región hospitalaria[10], y esta hospitalidad está muy unida a la gastronomía. El anfitrión[11] recibe a su invitado con una buena comida, con productos de la tierra en cantidad abundante[12].

Como en el resto de España, en Galicia se disfrutan mucho las comidas en compañía. Es muy habitual quedar con los amigos para comer, incluso en los días de trabajo. Por eso, las comidas suelen ser largas y van seguidas de la sobremesa, que es el tiempo que uno pasa sentado a la mesa, charlando[13] y bebiendo café o licores después de la comida.

La gastronomía gallega destaca por la excelente calidad de sus materias primas. Los mejores mariscos[14] y pescados del país llegan de sus costas, donde los pescadores y mariscadores arriesgan[15] sus vidas cada día. Uno de los trabajos más famosos es el de los *percebeiros*, hombres y mujeres que arrancan[16] de las rocas el percebe[17] en medio de las olas. Pero sin duda, el rey de la gastronomía gallega es el pulpo[18]. Este animal marino es una seña de identidad de esta cocina. Se puede preparar de muchas maneras, pero la receta más típica es el pulpo a la gallega. Curiosamente, sin embargo, donde mejor se cocina es en el interior de la región, no en la costa, y allí se celebran las ferias temáticas mas famosas.

El interior de Galicia es muy montañoso, un lugar idóneo[19] para el ganado. Por eso es la zona productora de carne más importante de todo el país y la ternera[20] gallega es famosa por su calidad y su

---

GLOSARIO

[8] **reliquia**: parte del cuerpo de un santo [9] **apóstol**: uno de los doce principales discípulos de Jesucristo [10] **hospitalario**: que recibe con gusto a gente en su casa [11] **anfitrión**: persona que tiene invitados en su casa [12] **abundante**: en gran cantidad [13] **charlar**: conversar [14] **marisco**: animal marino invertebrado (gambas, langostinos, cangrejos, etc.) [15] **arriesgar**: poner en peligro [16] **arrancar**: separar con fuerza, extirpar [17] **percebe**: crustáceo comestible de color negro y pequeño que se adhiere a las rocas y es muy apreciado [18] **pulpo**: molusco con tentáculos que vive en el mar [19] **idóneo**: ideal, perfecto [20] **ternera**: cría de la vaca

sabor[21]. La vaca está así muy presente en la cultura gallega. En algunos lugares es casi un animal de compañía.

Muchas de las recetas de la gastronomía gallega están relacionadas con el Camino de Santiago. La más famosa es la tarta de Santiago, hecha con almendras[22], azúcar y huevos, y que se decora siempre con la cruz de Santiago.

También son famosos sus vinos blancos. Ribeiro y Albariño son las denominaciones de origen[23] más conocidas. Se trata de vinos frescos y afrutados[24] que son un buen acompañamiento para el pescado y el marisco. También es conocida la buena calidad de su orujo, un aguardiente[25] que se obtiene de la destilación[26] de los restos de la uva después de ser prensada[27] para hacer vino.

Dónde comer…

Pulpería Os Concheiros

Este local se parece más a la nave[28] de un taller mecánico que a un restaurante, pero prepara uno de los mejores pulpos a la gallega de toda la ciudad. *Rúa Concheiros s/n, Santiago de Compostela.*

Marisquería Cancelo

En ella se sirven mariscos traídos directamente de los puertos de la zona. La relación calidad-precio es insuperable[29]. *Ronda de Outeiro 258, La Coruña.*

Para *gourmets...*

Restaurante Casa Marcelo

Una estrella Michelin y buenos precios junto a la Catedral de Santiago. *Rúa das Hortas 1, Santiago de Compostela.*

Restaurante As Garzas

Frente al océano Atlántico, su propósito[30] es: «Hacer feliz al viajero cambiando el estrés por el relax y la dieta[31] incómoda por la comida sabrosa[32] y sana». *Porto Barizo, Barizo-Malpica (La Coruña).*

GLOSARIO

[21] **sabor**: gusto, aroma [22] **almendra**: tipo de fruto seco que se utiliza mucho para hacer dulces [23] **denominación de origen**: denominación oficial que se da a algunos productos como garantía de que son de una región determinada y de buena calidad [24] **afrutado**: con sabor o aroma que recuerda al de la fruta [25] **aguardiente**: bebida alcohólica de alta graduación [26] **destilación**: procedimiento por el que se extrae el alcohol de un líquido [27] **prensar**: comprimir, aplastar [28] **nave**: local amplio y normalmente vacío que se utiliza habitualmente como almacén industrial [29] **insuperable**: inmejorable, que no se puede superar [30] **propósito**: objetivo [31] **dieta**: (aquí) tipo de alimentación [32] **sabroso**: con mucho sabor, delicioso

pista 03

Pulpo a la gallega

Ingredientes para 4 personas

> 1 pulpo mediano
(aproximadamente
1.5 kg)

> 4 patatas medianas
> 1 cebolla
> unas hojas de laurel[1]

> sal y sal gorda
> pimentón dulce
> aceite de oliva virgen

Preparación

Es muy importante congelar el pulpo antes de cocinarlo. Así no se pone duro[2] después de cocerlo. Para descongelarlo, se saca el pulpo de la nevera 24 horas antes de cocinarlo. Cuando está descongelado, se pone agua a hervir en una olla grande con una cebolla y hojas de laurel.

Cuando hierve el agua se echa el pulpo en la olla. Se debe «asustar» tres veces, es decir, meterlo y sacarlo del agua caliente. Después se deja cocer durante 30 minutos aproximadamente (o según el peso del pulpo, se pueden calcular 15 minutos por kilo). Luego se saca del agua y se deja enfriar. Se cortan las patas en rodajas de un centímetro aproximadamente y la cabeza en trozos.

En otra cazuela se ponen a cocer las patatas con un poco de sal y se dejan durante 15 o 20 minutos.

Se sirve en platos de madera. Primero se forma una base con las patatas, y sobre ella se pone el pulpo. Por último se riega con un buen chorro[3] de aceite de oliva virgen y se espolvorea con el pimentón y la sal gorda.

GLOSARIO

[1] **laurel**: árbol que tiene unas hojas muy aromáticas y que se utilizan a menudo para dar sabor a los alimentos [2] **duro**: no tierno [3] **chorro**: porción de líquido que sale por una parte estrecha, como un tubo fino

Comunidad autónoma: Principado de Asturias
Situación geográfica: noroeste de la península ibérica
Provincia única: Asturias
Capital: Oviedo
Población: 1 000 000 de habitantes

🎧 pista 04

2. Principado de Asturias

El nombre oficial de la región es Principado de Asturias. Esto se debe a[1] razones históricas, ya que el príncipe Felipe, heredero[2] de la Corona[3] de España, es el príncipe de Asturias.

Aunque el español es la única lengua oficial, también se habla asturiano o bable, una lengua romance que se hablaba ya en los reinos medievales de Asturias y de León. Hoy en día los lingüistas consideran que es un «dialecto histórico» del castellano.

¿Sabías que...? El término *Asturias* proviene de los antiguos habitantes de la región, los astures, que vivían a orillas del[4] río Astura (hoy Esla) hasta que los romanos llegaron a la península ibérica. En la palabra *Astura* se encuentra la raíz del término *stour*, de origen celta, y que significa 'río'.

Algo que destacar: es muy famoso el Descenso[5] Internacional del Sella en piragua[6]. Se trata de un recorrido[7] de 20 km a lo largo del río Sella entre las poblaciones de Arriondas y Ribadesella. Se celebra cada primer sábado de agosto y en él participan los mejores piragüistas internacionales junto a miles de aficionados.

GLOSARIO

[1] **deberse a**: tener como causa [2] **heredero**: (aquí) futuro sucesor [3] **Corona**: trono, monarquía [4] **a orillas de**: al lado de un río [5] **descenso**: bajada [6] **piragua**: embarcación larga y estrecha similar a la canoa [7] **recorrido**: camino, ruta

Gastronomía

Las recetas de la gastronomía regional son un reflejo de la geografía asturiana. Por un lado, como Asturias está en la costa del mar Cantábrico, tiene muchas recetas de pescado y marisco. Por otro lado, la región limita con la cordillera Cantábrica. Allí, en los valles[8] de estas montañas se cría[9] el ganado casi en libertad, y por eso la carne y la leche son de excelente calidad.

El plato más conocido de Asturias es la fabada, un guiso de legumbres[10] y carne que debe su nombre a la faba o *fabe*, una judía blanca muy grande y suave que solo se cultiva en esta región. La fabada se come normalmente en invierno y generalmente al mediodía, ya que es un plato consistente con muchas calorías y mucha grasa[11].

Otro de los ingredientes fundamentales de la cocina asturiana es el queso, que puede ser de vaca, de oveja, de cabra o de una mezcla de diferentes tipos de leche. En total, hay 42 denominaciones de quesos artesanales[12] en Asturias, pero el más típico y conocido es el de Cabrales, un queso azul que madura[13] en las cuevas[14] de las montañas. Su color azul-verdoso se debe al moho[15] que se forma por la humedad[16] de las cuevas.

También es característica de Asturias la sidra, una bebida alcohólica de baja graduación[17] que se hace a base de jugo de manzana. La sidra está muy presente en el día a día[18] asturiano, e incluso[19] en algunos bares solo se puede beber sidra. Algo curioso es cómo se sirve: la sidra se escancia, es decir, se sirve en vasos grandes y se deja caer el líquido poco a poco y desde mucha altura.

GLOSARIO

[8] **valle**: terreno llano entre montañas [9] **criar**: alimentar, cuidar a un animal [10] **legumbre**: grupo de alimentos que engloba las judías, los garbanzos, los guisantes, etc. [11] **grasa**: manteca o sebo de un animal [12] **artesanal**: hecho a mano [13] **madurar**: (aquí) coger sabor y consistencia con el paso del tiempo [14] **cueva**: (aquí) cavidad o espacio hueco que se forma en la roca [15] **moho**: capa de color verdoso que aparece sobre un alimento cuando este se corrompe o pudre [16] **humedad**: presencia de agua en el aire [17] **de baja graduación**: con poca cantidad de alcohol [18] **el día a día**: lo cotidiano, lo diario [19] **incluso**: aun, hasta

La persona que sirve debe levantar la botella por encima de su cabeza y dirigir el chorro de sidra hacia el borde[20] del vaso que tiene en la otra mano. Es una técnica muy difícil, y por eso son normalmente los camareros quienes llenan los vasos de los clientes sin experiencia.

Dónde comer…

Restaurante Tierra Astur Poniente

En esta sidrería urbana se sirve la cocina asturiana de siempre en raciones abundantes. *Calle Mariano Pola 10, Gijón.*

Sidrería El Polesu

Este local se encuentra en Cangas de Onís, uno de los pueblos más bonitos de la montaña asturiana. Allí es posible disfrutar de la cocina asturiana en un lagar[21] de 1929. *Calle Ángel Tarano 3, Cangas de Onís.*

Hotel-Restaurante La Casona del Sella

Casona de indianos restaurada en el año 2000. Tradición y vanguardia asturiana al lado del río Sella. *Pza. de Venancio Pando 4, Arriondas.*

Para *gourmets*...

Restaurante Casa Gerardo

Creatividad, raíces[22] y buenos productos: la combinación perfecta en manos de grandes profesionales. *Carretera AS-19, km 8, Prendes.*

Restaurante Casa Marcial

Lo mejor de la tradición asturiana y la cocina de vanguardia en medio de la montaña. *La Salgar s/n, Arriondas.*

GLOSARIO

[20] **borde**: extremo, límite [21] **lagar**: lugar donde se machaca la manzana para hacer la sidra [22] **raíz**: (aquí) fidelidad a la tradición

pista 05

Fabada

Ingredientes para 4 personas

> 500 g de *fabes*
> 2 chorizos[1]
> 2 morcillas[2]

> 100 g de lacón[3]
> 100 g de tocino[4]
> 1 cebolla

> 2 dientes de ajo
> perejil[5] fresco
> sal

Preparación

Se dejan las *fabes* en agua fría durante 12 horas. En otra olla se pone la carne (morcillas, chorizos, lacón y tocino) en remojo en agua templada y se deja el mismo tiempo.

Después, se ponen a cocer en el agua la carne y las *fabes* y se añaden la cebolla, el perejil y los ajos. Cuando empieza a hervir, se forma una espuma[6] que hay que quitar[7] con una espumadera o una cuchara de madera. Después se añade agua fría, se baja el fuego y se mantiene al mínimo. El guiso debe volver a hervir y cocinarse a fuego lento durante tres horas.

Finalmente, se prueba y se añade sal si es necesario. Es importante no añadirle sal hasta el final porque la carne ya sala el guiso y a veces no es necesario nada más. La fabada tiene que quedar con un poco de caldo. Si este está muy ligero, se puede espesar con algunas *fabes* machacadas.

GLOSARIO

[1] **chorizo**: tipo de embutido de carne de cerdo picada y adobada [2] **morcilla**: tipo de embutido de cerdo relleno de sangre cocida y condimentada con cebolla y otras especias [3] **lacón**: carne de la pata del cerdo que se come cocida [4] **tocino**: capa de grasa de cerdo [5] **perejil:** tipo de planta que se utiliza como condimento [6] **espuma**: capa blanca y con burbujas que se forma en la superficie de los líquidos [7] **quitar**: eliminar, extraer

Comunidad autónoma: País Vasco
Situación geográfica: norte de la península ibérica
Provincias: Álava, Guipúzcoa y Vizcaya
Capital: Vitoria
Población: 220 000 habitantes

pista 06

3. País Vasco

L a capital administrativa del País Vasco es Vitoria, en Álava, pero la ciudad más poblada es Bilbao, en la provincia de Vizcaya. En el País Vasco se hablan dos lenguas desde hace siglos, el español y el euskera. Las dos son oficiales. El euskera, a diferencia del resto de lenguas que se hablan en España, no procede del latín y tampoco pertenece a la familia indoeuropea. Su origen es todavía un misterio para los lingüistas.

¿Sabías que...? De acuerdo con la Sociedad de Estudios Vascos, se conoce como Euskal Herria o País Vasco a «un espacio o región cultural europeo, situado a ambos[1] lados de los Pirineos y que comprende[2] territorios de los Estados español y francés». Este territorio está formado por siete regiones: Álava, Vizcaya, Guipúzcoa y Navarra, en España; y Baja Navarra, Lapurdi y Zuberoa, en Francia.

Algo que destacar: es famoso el llamado «deporte rural vasco» (en euskera *herri kirolak*), es decir, el conjunto de deportes autóctonos que se practican en las zonas rurales de la región. Todos estos deportes tienen su origen en trabajos cotidianos del campo. Los campesinos[3] competían entre sí por ver quién era más rápido, más fuerte o más hábil[4] y convirtieron estos trabajos en actividades

GLOSARIO

[1] **ambos**: los dos [2] **comprender**: abarcar, incluir [3] **campesino**: persona que trabaja el campo [4] **hábil**: diestro, competente

deportivas. Por ejemplo, de la actividad de cortar los troncos de los árboles para hacer leña[5] surgió el deporte de los *aitzkolaris* o cortadores de troncos; del trabajo en las canteras[6] nació el *harrijasotzaile* o levantador de piedras, etc.

Gastronomía

Los vascos tienen fama de *gourmets*. La gastronomía y la alimentación son fundamentales en la región y se practican con interés y dedicación[7]. Por eso, la cocina vasca es hoy una de las más famosas del mundo, y el País Vasco uno de los principales destinos del turismo gastronómico.

Desde hace ya bastantes años, San Sebastián es la ciudad con más estrellas Michelin por habitante del mundo.

Pero lo que de verdad ha hecho famosa a la gastronomía vasca es la excelente calidad de su cocina popular, la de las casas, la de las tabernas y la de sus sociedades gastronómicas. Las sociedades gastronómicas vascas están formadas por grupos de amigos que se reúnen[8] habitualmente en un local que tiene una cocina y un comedor. Allí cocinan y comen juntos. Tradicionalmente, las sociedades eran exclusivamente masculinas.

Existen también cofradías[9] gastronómicas, es decir, sociedades que se dedican a defender y promover algún producto regional. Hoy, este tipo de sociedades se ha extendido por toda España.

Los ingredientes de la cocina vasca son los pescados del mar Cantábrico, la ganadería de buena calidad y las hortalizas[10]. Todos estos productos se combinan para dar lugar a[11] muchas variaciones de los platos regionales. En cuanto a las bebidas típicas, destaca el *txakolí*, un vino blanco un poco ácido[12], los vinos tintos de la Rioja

---

GLOSARIO

[5] **leña**: madera de los árboles que se usa para hacer fuego [6] **cantera**: sitio de donde se saca piedra [7] **dedicación**: interés [8] **reunirse**: quedar para hacer algo varias personas [9] **cofradía**: (aquí) grupo de personas que tienen un objetivo determinado [10] **hortaliza**: planta comestible que se cultiva en la huerta [11] **dar lugar a**: producir [12] **ácido**: que tiene sabor como de vinagre

Alavesa y la zona próxima a La Rioja, y el pacharán, un tipo de aguardiente hecho a base de frutos silvestres.

De la tradición gastronómica vasca, la palabra que ha traspasado fronteras es sin duda *pintxos* (pinchos en español). Un pincho es una rebanada de pan sobre la que se coloca una pequeña cantidad de comida. Se llama así porque tradicionalmente se pinchaba la comida con un palillo[13] para sujetarla[14] al pan. Normalmente, los pinchos están colocados sobre la barra[15] del bar y el cliente escoge los que más le gustan. La costumbre de ir de bar en bar probando las especialidades de cada local se ha hecho tan popular que se ha convertido en una forma más de comer.

Dónde comer…

Restaurante Víctor Montes
Un clásico de Bilbao en el corazón del casco viejo[16]. Con barra de pinchos y restaurante. *Plaza Nueva 8, Bilbao.*

Bodegón Alejandro
Uno de los locales más tradicionales de la Parte Vieja de San Sebastián, la cocina vasca en todo su esplendor[17]. *Calle Fermín Calbetón 4, San Sebastián.*

Restaurante Etxe Zaharra
Cocina tradicional vasca en el barrio medieval de Vitoria. *Calle Chiquita 6, Vitoria.*

Para *gourmets…*

Restaurante Arzak
Las tres estrellas Michelin más antiguas del País Vasco. El hombre que hizo posible la transición de la cocina vasca tradicional hacia la contemporánea. *Avenida Alcalde Elosegui 273, San Sebastián.*

Restaurante Mugaritz
La revolución de la comida ligera, tres estrellas Michelin para la vanguardia de Andoni Luis Aduriz. *Aldura Aldea 20 (caserío Otzazulueta), Errenteria (Guipúzcoa).*

Restaurante Etxebarri
El templo del carbón[18] y las parrillas[19]. *Plaza de San Juán 1, Atxondo (Vizcaya).*

GLOSARIO

[13] **palillo**: instrumento pequeño y que termina en punta [14] **sujetar**: fijar, sostener [15] **barra**: mostrador de un bar detrás del que está el camarero [16] **casco viejo**: parte antigua de la ciudad [17] **esplendor**: excelencia [18] **carbón**: combustible sólido y negro [19] **parrilla**: utensilio de hierro en forma de rejilla para poner al fuego lo que se va a asar o tostar

pista 07

Marmitako

Ingredientes para 4 personas

> 600 g de bonito
  (o atún[1]) en trozos
> 500 g de patatas
> 2 cebollas
> 4 pimientos verdes

> 2 tomates
> 2 pimientos choriceros
  (pimientos rojos secos)
> 2 dientes de ajo
> 1 hoja de laurel

> caldo de pescado
> aceite de oliva
> sal

Preparación

Se ponen en remojo los pimientos choriceros y se dejan durante unos 20 minutos. Mientras tanto, se pican las cebollas, se pelan los dientes de ajo y se pone todo en una cazuela con un poco de aceite. Se fríe durante cinco minutos y se añaden después los pimientos verdes cortados en trozos. Pasados unos minutos, se echan los tomates pelados, cortados en trozos grandes y sin pepitas[2], y se rehoga unos minutos más.

    Se sacan los pimientos choriceros del agua y con un cuchillo se separa la carne de la piel. A continuación, se echa la carne del pimiento al sofrito y se remueve todo.

    Se pelan las patatas y se cortan en cachelos. Se ponen las patatas en la olla con una hojita de laurel. Se añade la sal, se cubre con caldo de pescado y se deja cocer a fuego lento unos 20 minutos. Las patatas deben quedar tiernas[3]. Cuando ya casi está listo, se añade el pescado y se cuece durante cinco minutos más.

GLOSARIO

[1] **atún**: tipo de pescado [2] **pepita**: semilla [3] **tierno**: blando, que no está duro

Comunidad autónoma: Cataluña
Situación geográfica: nordeste de la península ibérica
Provincias: Barcelona, Gerona, Lérida y Tarragona
Capital: Barcelona
Población: 7 500 000 habitantes

4. Cataluña

as lenguas oficiales de Cataluña son el catalán y el español. El catalán es una lengua romance, es decir, proviene del latín, al igual que el español.

¿Sabías que...? Cataluña ha actuado tradicionalmente como nexo[1] entre España y Europa. Al estar cerca de Francia y tener una fuerte actividad empresarial, ha sido frecuentemente la puerta de entrada para las novedades extranjeras. Por eso fue también el punto de referencia cultural de la intelectualidad española durante los años de la dictadura franquista.

Algo que destacar: la manifestación cultural catalana más pintoresca[2] son los *castells* (castillos). Se trata de grupos de personas de diferentes edades que forman torres o castillos humanos de hasta diez pisos, colocadas según su peso y su estatura. Los últimos pisos siempre los ocupan niños. Los diferentes grupos compiten para ver cuál de ellos construye el mejor *castell*.

GLOSARIO

[1] **nexo**: punto de unión [2] **pintoresco**: peculiar, atractivo

Gastronomía

Cada vez se habla más de los beneficios[3] que la dieta mediterránea tiene para la salud. Y es que sus ingredientes fundamentales son muy saludables[4]. En la mayoría de sus platos son fundamentales el aceite de oliva y las verduras frescas, por ejemplo. Se come además mucha fruta y pescado, sobre todo pescado azul[5]. No se abusa de[6] la carne y, por último, se suele beber un vaso de vino en la comida.

La cocina catalana es uno de los ejemplos más completos de la dieta mediterránea. No solo conserva la tradición, sino que la enriquece[7] con los conocimientos de una sociedad activa, moderna y emprendedora[8].

En la cocina de Cataluña se combinan ingredientes del mar, la montaña y la huerta, y la mezcla de todos ellos es muy importante. La base es la cocina mediterránea, pero a ella se incorporan nuevos alimentos que dan lugar a nuevas combinaciones. Así se crea un lenguaje propio. Quizás lo más llamativo[9] de esta cocina es la combinación de carne y pescado en un mismo plato, los llamados «platos de mar y montaña», como las famosas albóndigas[10] con sepia[11].

Una de las tradiciones que más sorprende a quien visita por primera vez Cataluña es la del *pa amb tomàquet* (pan con tomate en español). En Cataluña es habitual comer el pan untado con tomate, un poco de aceite de oliva y sal. Esta sencilla preparación convierte al pan que acompaña a las comidas en una tentación[12] irresistible[13], y a menudo[14] el pan se termina antes de empezar a comer.

También existe una larga tradición cultural en torno al[15] vino, ya que en la región se producen vinos muy buenos, tanto tintos

---

GLOSARIO

[3] **beneficio**: ventaja, efecto positivo [4] **saludable**: sano, bueno para la salud [5] **pescado azul**: pescado graso [6] **abusar de**: utilizar en exceso [7] **enriquecer**: hacer más rico [8] **emprendedor**: persona que comienza un negocio o similar [9] **llamativo**: atractivo, sugerente [10] **albóndiga**: bola de carne guisada [11] **sepia**: molusco similar al calamar [12] **tentación**: estímulo deseable [13] **irresistible**: que no se puede resistir o evitar [14] **a menudo**: muchas veces [15] **en torno a**: alrededor de

como blancos. Pero el que destaca por encima de todos los demás es el cava, un vino espumoso que es en España lo que el champán (*champagne*) es en Francia. El principal centro de producción de cava está en la comarca del Penedès. Con cava se festejan[16] las grandes ocasiones, pero también es el acompañante perfecto para un aperitivo ligero o para los postres.

Dónde comer…

Restaurante Cal Pep
Cocina para comer en la barra y magníficos productos para disfrutar en raciones. *Plaza de les Olles 8, Barcelona.*

Restaurante Pinocho
La oportunidad de disfrutar de un mítico local dentro del Mercado de la Boquería. *Plaza de la Boquería, Barcelona.*

Restaurante Mas Pou
La cocina tradicional catalana en su entorno natural, una masía[17] cerca de la Costa Brava. *Plaza de la Mota 4, Palau Sator (Gerona).*

Para *gourmets*…

Restaurante El Bulli
Ferran Adrià ha conseguido convertir la cocina en el arte del siglo XXI. *Cala Montjoi, Roses (Gerona).*

Restaurante Can Fabes
Alta cocina tradicional con ingredientes del mar y la montaña. Su calidad inmejorable[18] se combina con una exigencia máxima y un trabajo perfecto. *Sant Joan 6, Sant Celoni (Barcelona).*

Restaurante El Celler de Can Roca
Tres hermanos y tres estrellas Michelin. Podría ser el título de una película, pero no; es el resultado del trabajo sin descanso de esta familia dedicada a la gastronomía desde hace varias generaciones. *Can Sunyer 48, Gerona.*

GLOSARIO
[16] **festejar**: celebrar [17] **masía**: casa de campo catalana [18] **inmejorable**: lo mejor, que no se puede superar

pista 09

Escalivada

Ingredientes para 4 personas

> 2 berenjenas[1]
> 1 pimiento rojo
> 3 cebollas
> 3 tomates

> ajo
> aceite de oliva
  virgen extra
> sal

> pan para hacer
  tostadas
> anchoas[2]

Preparación

Escalivar, en catalán, es una forma de asar en el fuego, pero si no se dispone de uno, la escalivada también se puede cocinar en el horno.

Se lavan y se secan las berenjenas, el pimiento y los tomates. Luego se colocan todas las verduras, excepto los tomates, en una bandeja[3] para horno y se riegan con un chorro de aceite de oliva.

Se asan en el horno a 180 °C durante una hora, dando la vuelta a las verduras de vez en cuando. Después se añaden los tomates. A la media hora se sacan las verduras del horno y se dejan enfriar.

Se pelan las verduras y se les quitan las pepitas al pimiento y a las berenjenas. A continuación se cortan en tiras. Se quita la capa externa de las cebollas y se trocean. Se ponen todos los ingredientes en un plato y se les añade una pizca de sal y el aceite del asado.

Para presentar este plato se pueden cortar unas rebanadas de pan, tostarlas y untarlas con medio tomate asado y un diente de ajo. Se colocan encima unas tiras de berenjena y de pimiento asado, un poco de cebolla asada y un par de filetes de anchoas. También se pueden servir todas las verduras en una fuente, como una ensalada.

GLOSARIO

[1] **berenjena**: hortaliza de tamaño medio y color morado [2] **anchoa**: pescado pequeño marinado en agua y sal [3] **bandeja**: fuente plana

Comunidad autónoma: Comunidad Valenciana
Situación geográfica: este de la península ibérica
Provincias: Alicante, Castellón y Valencia
Capital: Valencia
Población: 5 000 000 de habitantes

5. Comunidad Valenciana

En la Comunidad Valenciana existen dos lenguas oficiales: el valenciano y el español. Aunque la primera recibe tradicional y legalmente el nombre de valenciano, en el ámbito académico y lingüístico se considera el valenciano como una variedad o dialecto del catalán. La capital de la comunidad, Valencia, es la tercera ciudad más poblada de España después de Madrid y Barcelona.

¿Sabías que...? El pueblo autóctono de la Comunidad Valenciana son los íberos, que mantenían relaciones mercantiles y culturales con los fenicios, los griegos y los cartagineses. Después de la invasión romana, toda la costa valenciana quedó bajo el dominio del Imperio romano, que duró siete siglos. En ese período, los íberos se integraron en la nueva sociedad y adoptaron el latín como su lengua.

Algo que destacar: son famosas las Fallas, que se celebran del 15 al 19 de marzo en algunas ciudades y pueblos de la Comunidad en honor a[1] san José, patrón[2] de los carpinteros[3]. Su origen es la quema[4] de los restos de los talleres de carpintería. El pueblo ha transformado esta tradición, y hoy se queman figuras llamadas *ninots* (monigotes) que representan figuras de la cultura tradicional, pero también personajes públicos o de actualidad. Por eso, muchas

---

GLOSARIO

[1] **en honor a**: en homenaje a [2] **patrón**: santo protector [3] **carpintero**: persona que trabaja la madera [4] **quema**: destrucción mediante el fuego

veces tienen un objetivo de crítica social o política y una función simbólica: al quemar las figuras se eliminan los problemas que denuncian[5]. En esta fiesta se unen todos los elementos que definen la diversión valenciana: el fuego, la música, la pólvora[6] y la calle.

Gastronomía

La gastronomía de la Comunidad Valenciana es también un reflejo de la dieta mediterránea. En esta región hay productos de gran calidad como las verduras, las frutas y el pescado. Las naranjas valencianas también son muy famosas en España, pero sin duda[7] el producto rey es el arroz. En los principales platos de la cocina valenciana el arroz es el ingrediente fundamental.

El plato más conocido es la paella valenciana. que hoy es famosa en todo el mundo, aunque no siempre se prepara bien.

Y es que hacer una buena paella no es fácil. No solo hay que tener los mejores ingredientes, sino que además hay que cocer el arroz en su punto justo[8]. Por eso, prepararla es un arte. Para hacerla hace falta una paella, una sartén plana y grande que da nombre al plato. Una variante de la paella tradicional es la fideuá, que se elabora con fideos[9] en lugar de arroz. Pero la paella no es el único plato que se prepara a base de arroz. Otros son el arroz negro (con tinta de los calamares) y el arroz con costra[10] (con una capa de huevos al horno por encima), por ejemplo. En general se prepara el arroz de muchísimas maneras diferentes: con carne, con pescado, con verduras o con una combinación de todo ello.

En la Comunidad Valenciana también se produce uno de los productos más típicos de la Navidad española: el turrón. Se trata

---

GLOSARIO

[5] **denunciar**: declarar oficial y públicamente un hecho negativo [6] **pólvora**: sustancia explosiva que se utiliza en la pirotecnia [7] **sin duda**: seguro [8] **en su punto justo**: a la perfección [9] **fideo**: tira delgada de pasta [10] **costra**: cubierta o corteza exterior que se endurece o seca sobre una cosa húmeda o blanda

de un dulce de origen árabe que se elabora a partir de una masa de miel y almendras tostadas.

Por último, es típica una bebida parecida a la leche, pero de sabor dulce, que se hace con chufas, un tubérculo[11] de tamaño pequeño y color marrón. Se trata de la horchata, que se bebe muy fría y especialmente en verano. A menudo se acompaña de unos bollos[12] alargados llamados *fartons*.

Dónde comer…

Restaurante Casa Galbis
Merece la pena[13] ir a comer una de sus famosas paellas gigantes. *Avenida Antonio Almela 15, La Alcudia (Valencia).*

La Taberna del Gourmet
Premiada como el mejor lugar de España para tapear. *Calle San Fernando 10, Alicante.*

Para *gourmets...*

Restaurante Quique Dacosta
El equipo de este restaurante extrae la esencia de los mejores ingredientes del entorno[14]. *Carretera Las Marinas km 3, Carrer Rascassa 1, Denia (Alicante).*

Restaurante Ca Sento
Productos de gran calidad y manjares[15] en estado puro. *Méndez Núñez 17, Valencia.*

GLOSARIO

[11] **tubérculo**: familia de vegetales a la que pertenecen las patatas [12] **bollo**: bizcocho, torta [13] **merecer la pena**: ser recomendable [14] **entorno**: zona [15] **manjar**: alimento delicioso

Truco

*Para preparar la fideuá
hay que seguir los
mismos pasos que para la
paella, pero se sustituye
el arroz por fideos. La
pasta se hace antes que
el arroz, así que hay
que dejarla cocer solo la
mitad de tiempo.*

pista 11

Paella

Ingredientes para 4 personas

> 350 g de arroz   > 1 pimiento verde   > azafrán[2]
> 1 kg de pollo   > 1 tomate   > colorante[3]
> 4 langostinos   > 1 cebolla mediana   > sal
> 8 gambas   > 2 dientes de ajo   > perejil
> 250 g de mejillones[1] > caldo de verduras
> 1 pimiento rojo   > aceite de oliva

Preparación

Se necesita una paella de unos 45 centímetros de diámetro[4] y el caldo de hervir verduras (cebolla, apio, puerro y zanahoria, por ejemplo).

En primer lugar, se corta el pollo en pedazos pequeños y se le echa sal. A continuación se dora en la paella con un poco de aceite de oliva y se deja aparte. En la misma paella se prepara un sofrito con la cebolla, los pimientos y el ajo picados. Cuando la verdura está blanda[5], se añaden el tomate picado y el perejil y se deja todo unos minutos más. El sofrito está listo aproximadamente a los 20 minutos, cuando la verdura está blanda y jugosa[6]. Entonces se echa el arroz y se mezcla todo bien. Después, se añade el caldo de las verduras (justo el doble de caldo que de arroz), se mezcla todo bien y se añaden el azafrán, el colorante y la sal. Por último, se echa el pollo. Al principio debe cocer a fuego vivo. Cuando empieza a hervir el caldo, se baja el fuego y se deja hacer el arroz unos 20 minutos. Unos diez minutos antes de retirar la paella del fuego se colocan las gambas, los langostinos y los mejillones sobre el arroz. Cuando se ha retirado del fuego, se tapa la paella con un trapo[7] húmedo o con varias hojas de papel de periódico también húmedas, y se deja reposar cinco minutos.

GLOSARIO

[1] **mejillón**: molusco de color naranja con una concha negra y alargada [2] **azafrán**: planta muy valiosa que procede de Oriente y se utiliza para dar color a las comidas [3] **colorante**: sustancia que sirve para añadir color a las comidas [4] **diámetro**: recta que une dos puntos de una circunferencia pasando por el centro [5] **blando**: tierno [6] **jugoso**: que tiene jugo, que no está seco [7] **trapo**: pedazo de tela que se usa para limpiar

Comunidades autónomas: Castilla y León, Castilla-La Mancha y Madrid
Situación geográfica: centro de la península ibérica
Capitales: Valladolid (Castilla y León), Ciudad Real (Castilla-La Mancha), Madrid (Madrid)

6. Castilla y León, Castilla-La Mancha y Madrid

Castilla es la cuna[1] del castellano, que surgió como uno de los dialectos del latín después de la caída del Imperio romano. Surgió en la parte norte de Castilla, muy cerca del País Vasco. Hoy se utilizan indistintamente[2] los términos *castellano* y *español* para referirse a la lengua española.

¿Sabías que...? A lo largo de la historia, varias ciudades de estas regiones han sido capital de España. Madrid es capital desde 1561, fecha muy reciente si se compara con las grandes capitales europeas. Antes habían sido capital Burgos, primero, y Toledo, más tarde.

Algo que destacar: la esencia del espíritu manchego se puede leer en *Don Quijote de la Mancha*, de Miguel de Cervantes, quien narra en su novela las aventuras que este caballero andante sale a buscar por las tierras de Castilla-La Mancha. Esta comunidad autónoma es también la tierra de otro español internacional: el director de cine Pedro Almodóvar.

GLOSARIO
[1] **cuna**: (aquí) origen [2] **indistintamente**: que no marca diferencia

Gastronomía

Madrid ha sido tradicionalmente el punto de encuentro de emigrantes de todas las regiones de España, que trajeron sus costumbres, y con ellas también su cultura gastronómica. Por eso, la cocina madrileña es muy rica. En ella se unen la identidad castellana original y las tradiciones de las demás regiones del país.

Castilla ha vivido tradicionalmente de la agricultura y la ganadería. El clima continental de inviernos fríos y veranos calurosos hacía el duro trabajo en el campo aún más difícil. La cocina castellana es un reflejo de esta realidad. Es sobria[3], sencilla y contundente[4], «como –dicen– el carácter de sus habitantes». Está basada en los cereales[5], las legumbres y la carne, y las recetas más populares nacen de la combinación de estos elementos.

El plato más famoso de esta zona es el cocido, un guiso de garbanzos[6], carne y verdura que se sirve generalmente en tres etapas: primero la sopa, después los garbanzos y la verdura, y en último lugar la carne. Aunque hay diferentes variedades, el cocido más conocido es el madrileño.

El otro plato fuerte de la gastronomía castellana son los asados de cordero y cochinillo. Los restaurantes donde se preparan se llaman asadores. Allí, la carne se asa en un horno de leña.

Estos asados son famosos porque el ganado es de muy buena calidad y los animales que se preparan son muy jóvenes y tiernos. El cochinillo, el cordero lechal o lechazo y el cabrito son, respectivamente, cerdo, cordero y cabra que solamente se han alimentado de leche materna.

En cuanto a Madrid, es uno de los mejores lugares para ir de tapas. Una de las costumbres más extendidas por todo el país, pero especialmente en la capital, es salir a tomar unas cañas (pequeños vasos de cerveza) o unos vinos con algo de comer. Lo

---

GLOSARIO

[3] **sobrio**: sereno, sencillo [4] **contundente**: fuerte [5] **cereal**: grupo de plantas al que pertenecen el trigo, la cebada, etc. [6] **garbanzo**: tipo de legumbre de forma redonda y color anaranjado

tradicional es ir de bar en bar y acompañar la bebida con raciones de diferentes platos. Generalmente, las raciones son porciones grandes de comida que se piden aparte[7], pero en la mayoría de los bares se sirve una tapa o pequeña cantidad de comida gratis para acompañar la bebida. En Madrid hay una enorme variedad de tapas: tortilla de patata, jamón ibérico, boquerones[8] en vinagre, croquetas[9] o patatas bravas (patatas fritas con salsa de tomate picante), por ejemplo. Se pueden tomar en cualquier bar, pero las zonas de tapeo más populares son La Latina, Huertas, la Plaza Mayor y Lavapiés.

Dónde comer…

Restaurante Casa Salvador
Cocina tradicional madrileña y decoración taurina[10]. Aquí hay que probar el famoso rabo de toro. *Barbieri 12, Madrid.*

Restaurante La Bola
El cocido madrileño preparado como dice la tradición: en olla de barro[11] y en el fuego desde la primera hora de la mañana. *Calle de la Bola 5, Madrid.*

Restaurante Figón de Tinín
La carta es sencilla: cordero asado, ensalada, pan y vino. Quien viaja a este precioso pueblo sabe lo que busca. *Lope Tablada de Diego 6, Sepúlveda (Segovia).*

Para *gourmets…*

Restaurante Viridiana
Cocina con sabor propio en un ambiente diferente. *Juan de Mena 14, Madrid.*

Restaurante Sergi Arola Gastro
La cocina personal de uno de los discípulos[12] aventajados[13] de Ferran Adrià. *Zurbano 31, Madrid.*

Restaurante El Bohío
Para experimentar la transformación de los contundentes platos tradicionales castellanos en construcciones ligeras con todo el sabor. *Avenida de Castilla La Mancha s/n, Illescas (Toledo).*

GLOSARIO

[7] **aparte**: extra [8] **boquerón**: pez similar a la sardina pero más pequeño [9] **croqueta**: bola rellena de salsa bechamel y jamón, pollo u otros que se empana y se fríe [10] **taurino**: relativo a los toros [11] **barro**: material hecho de tierra y agua que se utiliza en la cerámica [12] **discípulo**: alumno [13] **aventajado**: con talento

pista 13 +

Tortilla de patata

Ingredientes para 4 personas

> 4 patatas medianas
> 5 huevos
> 1 cebolla grande

> 250 ml de aceite
  de oliva
> sal

Preparación

Se pelan y se cortan las patatas en rodajas finas, se les echa sal y se fríen en una sartén honda[1] con aceite de oliva a temperatura media. Se agrega entonces la cebolla cortada en rodajas finas y se fríe todo lentamente. Las patatas tienen que quedar blandas y solamente comenzar a dorarse.

Después, se saca todo y se escurre bien el aceite. Se baten los huevos y se mezclan con las patatas. A continuación, se pone en la sartén un poquito de aceite de oliva y se añade toda la mezcla. Se fríe a fuego medio alrededor de cuatro minutos, moviendo un poco la sartén; así, la tortilla se dora y no se pega. Pasados los minutos, se da la vuelta a la tortilla para dorarla por el otro lado. Para realizar esta operación es necesario un plato tan grande como la sartén. El secreto para conseguir una tortilla sabrosa es el siguiente: debe quedar dorada por los dos lados, pero jugosa por dentro.

GLOSARIO
[1] **hondo**: profundo

pista 14

Pisto manchego

Ingredientes para 4 personas
> 1 cebolla grande   > 1 kg de tomates maduros
> 2 calabacines medianos   > aceite de oliva
> 3 pimientos verdes   > sal
  medianos

Preparación

Se pican la cebolla y los pimientos y se echan en la sartén con un poco de aceite de oliva. Se rehogan a fuego lento y se les dan vueltas de vez en cuando[1]. Mientras, se pelan y se cortan los tomates en trozos pequeños y se echan en la sartén. Si el tomate es muy ácido, se puede añadir un poquito de azúcar.

Después se cortan en dados los calabacines y se fríen a fuego lento en otra sartén con un poco de aceite de oliva. Se remueven de vez en cuando.

Todos estos ingredientes tienen que quedar blandos. Después, se mezclan todos en una de las sartenes y se dejan a fuego lento durante unos minutos, removiendo de vez en cuando. Así la mezcla coge bien el sabor. Se sirve el pisto en una fuente, como guarnición[2] de la carne o los huevos, por ejemplo.

GLOSARIO
[1] **de vez en cuando**: a veces [2] **guarnición**: comida (por lo general patatas, verdura o ensalada) que acompaña a la carne o el pescado

pista 15

Cordero asado

Ingredientes para 4 personas
> medio cordero lechal (lechazo)
> manteca[1] de cerdo (opcional)
> sal
> agua

Para el majado:
> 3 dientes de ajo, una pizca de sal
gorda y un poco de vinagre

Preparación

La carne del cordero lechal, llamado también lechazo, es blanca y tierna ya que es un animal de unos 25 o 30 días de vida. El lechazo o lechal puede pesar 6 o 7 kg, así que medio lechal pesa alrededor de 3.5 kg. Primero hay que precalentar el horno durante unos minutos a 180 ºC.

Mientras, se sala la carne. Opcionalmente, se puede untar la piel con un poco de manteca de cerdo. Se pone el cordero lechal en una fuente de barro y se riega con un vaso grande de agua. Se deja en el horno durante una hora y media, aproximadamente.

Mientras, se prepara el majado en un mortero. Se hace con los ajos pelados y picados, una pizca de sal gorda, una cucharada de vinagre y un poco de caldo del asado. Se remueve todo hasta formar una pasta. A los 45 minutos, aproximadamente, se da la vuelta al lechazo y se le añade el majado por encima. Si el fondo de la fuente está muy seco, se echa un poco más de agua. Por último, se vuelve a meter la fuente en el horno para terminar el asado. Se puede comprobar de vez en cuando si la carne está hecha. El cordero debe quedar tostado por fuera y muy jugoso por dentro. Además, en el fondo de la fuente debe quedar un poco de salsa.

El acompañamiento perfecto para el cordero es una simple ensalada de lechuga, tomate y cebolla, y un buen vino tinto y pan. Este es el menú más castellano.

GLOSARIO
[1] **manteca**: grasa

pista 16

Cocido madrileño

Ingredientes para 8 personas

> 1 kg de carne de vaca
(morcillo[1])
> 250 g de gallina[2] o pollo
> 2 huesos[3] de jamón
> 200 g de panceta[4] o
tocino

> 1 morcilla mediana
> 2 chorizos medianos
> 600 g de garbanzos
> 1 cebolla grande
> 3 zanahorias
> 3 patatas

> 500 g de repollo
(col blanca)
> 250 g de fideos
(pasta fina)
> aceite de oliva
> sal

Preparación

La noche anterior se ponen en remojo los garbanzos para ablandarlos[5].

En una olla grande se ponen a cocer, con mucha agua y algo de sal, la carne de vaca y los huesos. Una hora y media más tarde se añaden el pollo o la gallina, los garbanzos, la panceta y la cebolla. Una hora después, el repollo y las zanahorias. Por último, media hora más tarde, se echan las patatas. En total, el guiso debe cocer unas tres horas. Si es necesario añadir agua durante la cocción, debe estar hirviendo. Nunca se debe añadir agua fría porque los garbanzos se ponen duros.

En otra olla se ponen el chorizo y la morcilla a cocer durante media hora. Se ponen aparte porque la morcilla se deshace fácilmente.

Después se junta el caldo de ambas ollas para preparar una sopa de fideos que será el primer plato. El resto del cocido se sirve en dos fuentes: una con la carne y la otra con los garbanzos y la verdura.

GLOSARIO

[1] **morcillo**: parte alta de las patas de la vaca [2] **gallina**: ave (la hembra del pollo) [3] **hueso**: cada una de las piezas que forman el esqueleto de los animales [4] **panceta**: hoja de tocino con parte de carne magra, es decir, no grasa [5] **ablandar**: hacer más blando

Comunidad autónoma: Andalucía
Situación geográfica: sur de la península ibérica
Provincias: Almería, Cádiz, Córdoba, Granada, Huelva, Jaén, Málaga y Sevilla
Capital: Sevilla
Población: 8 300 000 habitantes

🎧 pista 17

7. Andalucía

Es la comunidad autónoma más poblada y la segunda más grande de España. En Andalucía se habla el dialecto andaluz, que es la forma de hablar el español en esa región. Tiene algunas características particulares de vocabulario o de uso de los pronombres personales («ustedes» es la forma habitual de la 2ª persona de plural). En general, los sonidos de *s* y de *c/z* se pronuncian igual. Muchos pronuncian *s* y *c/z* como *s*, fenómeno que se conoce como seseo. Algunos pronuncian *s* y *c/z* como *z*, fenómeno que se conoce como ceceo.

¿Sabías que...? En Andalucía han vivido culturas muy diferentes a lo largo de la historia. Por ella han pasado los íberos, los celtas, los fenicios, los cartagineses, los romanos, los árabes y los gitanos. Andalucía es una mezcla de todas estas culturas, pero conserva muchos rasgos de la cultura árabe.

Algo que destacar: aunque hay mucho misterio alrededor del origen del flamenco, no hay duda de que nació en Andalucía. El cante y el baile son las manifestaciones fundamentales de este arte, que se ha convertido en uno de los principales embajadores[1] de la cultura andaluza y española en todo el mundo.

GLOSARIO
[1] **embajador**: (aquí) representante, ejemplo

Gastronomía

Los andaluces son, en general, abiertos. Pasan mucho tiempo en la calle, ya que el clima templado[2] lo permite. Andalucía tiene además muchos kilómetros de costa. Todo esto se refleja en su gastronomía: muchas de las recetas andaluzas pueden prepararse con antelación[3], así es posible pasar más tiempo fuera de casa. Además, muchas de ellas pueden prepararse en forma de tapas.

La gastronomía andaluza es también un reflejo de las culturas que vivieron en este territorio, especialmente de los árabes, que dejaron especias[4], frutos secos[5] y dulces muy variados.

En Andalucía hay muchos olivos[6] y la base de los platos tradicionales es el aceite de oliva. Desde el pescado frito hasta el gazpacho, en todos ellos es necesario el aceite de oliva.

El producto estrella de su cocina es el jamón ibérico. El mejor es el de bellota[7], que se llama así porque los cerdos se alimentan de este fruto. El más famoso es el de Huelva.

La repostería[8] andaluza tiene mucha influencia árabe y utiliza la almendra y la miel. Muchos de estos dulces se elaboran hoy en conventos y tienen nombres religiosos, como el tocino de cielo, el cabello de ángel o los suspiros de monja.

También en Andalucía se producen los vinos de Jerez, como el fino y el manzanilla. Uno de los más famosos es el Pedro Ximénez.

GLOSARIO

[2] **templado**: ni frío ni caliente [3] **con antelación**: antes de [4] **especias**: hierbas aromáticas para condimentar los alimentos [5] **frutos secos**: nueces, almendras, avellanas, etc. [6] **olivo**: árbol de la aceituna [7] **bellota**: fruto de la encina [8] **repostería**: arte de preparar dulces, postres, bizcochos, etc.

Dónde comer…

Bodega Santa Cruz Las Columnas

Un sitio tradicional para tomar tapas al lado de la Giralda. *Calle de Rodrigo Caro 1, Sevilla.*

Taberna El Rinconcillo

Tapas y raciones de gran calidad en una de las tabernas más antiguas de Sevilla. *Calle de Gerona 40, Sevilla.*

Restaurante El Faro

Situado al lado de la playa de La Caleta. *Calle San Félix 15, Cádiz.*

Para *gourmets*...

Restaurante Calima

El chef Dani García ha renovado los sabores tradicionales de la cocina andaluza y ha conseguido dos estrellas Michelin. *Calle José Meliá s/n, Marbella (Málaga).*

Restaurante Aponiente

Ángel León es el «cocinero del mar». Aquí los sabores del mar andaluz son diferentes. *Calle Puerto Escondido 6, El Puerto de Santa María (Cádiz).*

pista 18

Gazpacho

Ingredientes para 4 personas

> 1 kg de tomates
   maduros[1]
> 1 pepino
> 1 pimiento verde

> 2 dientes de ajo
> 150 g de pan duro
> 5 cucharadas de aceite
   de oliva

> 1 cucharada de vinagre
> sal
> agua

Preparación

Se pone en remojo el pan en un bol. Con una batidora o robot de cocina se trituran el tomate, el pimiento y el pepino. A continuación, se cuela todo muy bien y se pone en otro recipiente.

   Se tritura después el ajo con el pan remojado, el vinagre y el aceite, y se añade a la mezcla anterior. Tiene que quedar líquido, como una sopa. Por último, se añade la sal necesaria, se deja enfriar en la nevera y se sirve muy frío.

   Se puede servir acompañado de unos boles con trocitos de pan tostado, tomate, pepino, cebolla y pimiento.

GLOSARIO
[1] **maduro**: (aquí) muy rojo y blando

Notas culturales

1. Galicia
Cruz de Santiago: Cruz latina de origen medieval que tiene forma de espada. Representa el carácter caballeresco del apóstol Santiago.

4. Cataluña
Penedès: Territorio histórico de la comunidad autónoma de Cataluña que se encuentra en las provincias de Barcelona y Tarragona. También existe una denominación de origen con el mismo nombre.

Mercado de la Boquería: Mercado municipal que se encuentra en el número 91 de Lvvaaa Rambla de Barcelona. Es el mercado más grande de Cataluña, y el más visitado por los turistas.

Ferran Adrià (1962): Cocinero español considerado uno de los mejores del mundo.

5. Comunicad Valenciana
Fenicios: Habitantes de Fenicia, antigua región de Oriente Próximo, en la costa oriental del Mediterráneo, cuna de la civilización fenicia.

Cartagineses: Habitantes de Cartago, importante ciudad de la antigüedad que fundaron los fenicios de Tiro en el norte de África.

6. Castilla y León, Castilla-La Mancha y Madrid
Rabo de toro: Guiso típico de rabo de vaca o toro estofado.

7. Andalucía
Giralda: Campanario de la Catedral de Santa María de Sevilla, una de las construcciones más famosas de Andalucía.

Glosario

ESPAÑOL	INGLÉS	FRANCÉS	ALEMÁN

Introducción

[1] **gastronomía**	gastronomy	gastronomie	Kochkunst
[2] **éxito**	success	succès	Erfolg
[3] **materias primas**	raw material	matière première	Zutaten
[4] **cotidiano**	everyday	quotidien	alltäglich
[5] **acontecimiento**	event	événement	Ereignis
[6] **soler**	to usually happen	d'habitude	pflegen etwas zu tun
[7] **pieza**	piece	pièce	Teil
[8] **caja**	box	boîte	Kiste
[9] **recipiente**	container	récipient	Gefäß
[10] **embutido**	cured pork sausage	charcuterie	Wurst
[11] **tapar**	to cover	couvrir	bedecken
[12] **impedir**	to prevent	empêcher	vermeiden
[13] **mosca**	fly	mouche	Fliege
[14] **polvo**	dust	poussière	Staub
[15] **ocio**	leisure	loisir	Freizeit
[16] **por supuesto**	of course	bien entendu	selbstverständlich

Cocina de la *A* a la *Z*

a fuego lento	on a low flame	à feu doux	bei niedriger Hitze
a fuego vivo	on a high flame	à feu fort	bei hoher Hitze
asar	to roast	rôtir	im Ofen braten
batir	to beat	battre/fouetter	schlagen/verquirlen
caldo	broth	bouillon	Brühe
cazuela	saucepan	casserole	Kasserolle
colar	to strain	filtrer	sieben
cocer	to cook/to boil	cuire	kochen
congelar	to freeze	congeler	einfrieren
cortar en cachelos	to cut into small irregular pieces	couper de façon irrégulière	grob zertrennen (Kartoffeln)
cortar en dados	to dice	couper en dés	würfeln

ESPAÑOL	INGLÉS	FRANCÉS	ALEMÁN
cortar en tiras	to cut into strips	couper en bâtonnets	in Streifen schneiden
cucharada	spoonful	cuillerée	Löffel (Menge)
dar la vuelta	to turn over	retourner	wenden
dorar	to brown	faire revenir	goldbraun braten
escurrir	to rinse	égoutter	abtropfen lassen
espesar	to thicken	épaissir	eindicken/binden
espolvorear	to sprinkle	saupoudrer	bestreuen
espumadera	slotted spoon	écumoire	Schaumkelle
freír	to fry	faire frire	frittieren
guiso	roast	ragoût	Eintopf
hervir	to boil	faire bouillir	zum kochen bringen
machacar	to crush	piler	zerstoßen
majado	crushed or ground mix	mélange qui se prépare avec le mortier	Paste
mortero	mortar	mortier	Mörser
olla	saucepan	marmite	(Koch) topf
pegarse	to stick	attacher	festkleben
pelar	to peel	éplucher	schälen
picar	to chop finely	hacher	zerkleinern
pizca	pinch	pincée	Prise
precalentar	to pre-heat	préchauffer	vorheizen
rebanada	slice of bread	tranche	Schnitte
regar	to pour liquid over sth	arroser	übergießen /aufgießen
rehogar	to fry lightly	faire revenir	dünsten
remojo (poner en)	to soak	(faire) tremper	einlegen
remover	to stir	tourner	(um) rühren
reposar	to settle	reposer	ruhen lassen
rodaja	slice	rondelle	Scheibe
sacar	to remove	sortir	herausnehmen
salar	to salt	saler	salzen
sartén	frying pan	poêle	Pfanne
sofrito	lightly fried onion, tomatoes...	friture d'oignon et/ou ail	in Öl geschmorte Tomaten, Zwiebeln, etc.
tostar	to toast	faire griller	rösten
triturar	to mix in a blender	broyer	mahlen
trocear	to chop	couper en morceaux	in Stücke schneiden
untar	to spread	tartiner	bestreichen

ESPAÑOL	INGLÉS	FRANCÉS	ALEMÁN

1. Galicia

[1] cabo	cape	cap	Kap
[2] pesca	fishing	pêche	Fischfang
[3] ganadería	cattle-raising	élevage	Viehzucht
[4] Patrimonio de la Humanidad	World Heritage	Patrimoine de l'Humanité	Weltkulturerbe
[5] ruta	route	chemin	Pfad
[6] peregrinación	pilgrimage	pèlerinage	Pilgerfahrt
[7] Edad Media	Middle Ages	Moyen Âge	Mittelalter
[8] reliquia	reliquiary	relique	Reliquie
[9] apóstol	saint/apostle	apôtre	Apostel
[10] hospitalario	hospitable	hospitalier	gastfreundlich
[11] anfitrión	host	hôte	Gastgeber
[12] abundante	abundant	abondant	reichlich
[13] charlar	to chat	bavarder	plaudern
[14] marisco	shellfish	fruits de mer	Meeresfrucht
[15] arriesgar	to risk	risquer	riskieren
[16] arrancar	to pull off	arracher	ausreißen
[17] percebe	goose barnacle	pouce-pied	Entenmuschel
[18] pulpo	octopus	poulpe	Krake
[19] idóneo	ideal	idéal	geeignet
[20] ternera	veal	veau	Kalbfleisch
[21] sabor	taste	goût	Geschmack
[22] almendra	almond	amande	Mandel
[23] denominación de origen	guarantee of origin	appellation d'origine	Herkunftsbezeichnung
[24] afrutado	fruity	fruité	fruchtig
[25] aguardiente	eau-de-vie	eau-de-vie	Schnaps
[26] destilación	distillation	distillation	Brennen
[27] prensar	to press	presser	pressen
[28] nave	warehouse	hangar	Halle
[29] insuperable	unbeatable	imbattable	unübertrefflich
[30] propósito	aim	but	Ziel, Vorsatz
[31] dieta	diet	alimentation	Kost
[32] sabroso	tasty	délicieux	schmackhaft

ESPAÑOL	INGLÉS	FRANCÉS	ALEMÁN

Pulpo a la gallega

[1] **laurel**	bayleaf	laurier	Lorbeer
[2] **duro**	tough	dur	hart
[3] **chorro**	trickle	filet	Schuss

2. Principado de Asturias

[1] **deberse a**	to be due to	être du	zurückzuführen sein auf
[2] **heredero**	heir	héritier	Thronfolger
[3] **Corona**	Crown	couronne	Königreich
[4] **a orillas de**	on the banks of	au bord de	am Ufer des
[5] **descenso**	descent	descente	Abfahrt
[6] **piragua**	canoe	canoë-kayak	Kanu
[7] **recorrido**	trip	parcours	Strecke
[8] **valle**	valley	vallée	Tal
[9] **criar**	to raise	élever	züchten
[10] **legumbre**	legumes	légume sec	Hülsenfrucht
[11] **grasa**	fat	graisse	Fett
[12] **artesanal**	hand-made	artisanal	handgemacht
[13] **madurar**	to mature	mûrir	reifen
[14] **cueva**	cave	grotte	Höhle
[15] **moho**	mould/mildew	moisissure	Schimmel
[16] **humedad**	damp	humidité	Feuchtigkeit
[17] **de baja graduación**	low-alcohol	à faible degré d'alcool	mit niedrigem Alkoholanteil
[18] **el día a día**	everyday life	au quotidien	Alltag
[19] **incluso**	even	même	sogar
[20] **borde**	side	bord	Rand
[21] **lagar**	cider press	pressoir	Kelterhaus
[22] **raíz**	root	fidélité à la tradition	Wurzel

Fabada

[1] **chorizo**	spicy cured sausage	chorizo	Paprikawurst
[2] **morcilla**	blood sausage	boudin noir	Blutwurst

ESPAÑOL	INGLÉS	FRANCÉS	ALEMÁN
[3] **lacón**	cooked foreleg ham	épaule de porc salée	gesalzener Vorderschinken
[4] **tocino**	fatty salt pork	lard	Speck
[5] **perejil**	parsley	persil	Petersilie
[6] **espuma**	froth	écume	Schaum
[7] **quitar**	to remove	enlever	entfernen

3. País Vasco

ESPAÑOL	INGLÉS	FRANCÉS	ALEMÁN
[1] **ambos**	both	les deux	beide
[2] **comprender**	to include	comprendre	umfassen
[3] **campesino**	peasant	paysan	Bauer
[4] **hábil**	capable	habile	geschickt
[5] **leña**	wood	bûche de bois	Brennholz
[6] **cantera**	quarry	carrière	Steinbruch
[7] **dedicación**	dedication	dévouement	Hingabe
[8] **reunirse**	to get together	se réunir	sich versammeln
[9] **cofradía**	club	confrérie	Bruderschaft
[10] **hortaliza**	vegetable	légume	Gemüse
[11] **dar lugar a**	to give rise to	donner lieu à	hervorbringen
[12] **ácido**	acidic	acide	sauer
[13] **palillo**	toothpick	cure-dents	Zahnstocher
[14] **sujetar**	to hold in place	tenir	befestigen
[15] **barra**	bar	comptoir	Theke
[16] **casco viejo**	old quarter	vieille ville	Altstadt
[17] **esplendor**	splendour	splendeur	Glanz
[18] **carbón**	coal	charbon de bois	Kohle
[19] **parrilla**	barbecue	gril au charbon de bois	Grill

Marmitako

ESPAÑOL	INGLÉS	FRANCÉS	ALEMÁN
[1] **atún**	tuna	thon	Thunfisch
[2] **pepita**	seed	pépin	Kern
[3] **tierno**	tender	tendre	zart

ESPAÑOL	INGLÉS	FRANCÉS	ALEMÁN

4. Cataluña

ESPAÑOL	INGLÉS	FRANCÉS	ALEMÁN
[1] nexo	link	lien	Verbindung
[2] pintoresco	picturesque	pittoresque	eigentümlich
[3] beneficio	benefit	bienfait	Vorteil
[4] saludable	healthy	sain	gesund
[5] pescado azul	blue fish	poisson gras	Fisch mit mehr als 5 mg Fett
[6] abusar de	to overuse	abuser de	es übertreiben mit
[7] enriquecer	to enrich	enrichir	bereichern
[8] emprendedor	entrepreneurial	entreprenante	unternehmerisch
[9] llamativo	striking	remarquable	auffallend
[10] albóndiga	meatball	boulette de viande	Fleischkloß
[11] sepia	cuttlefish	seiche	Sepia
[12] tentación	temptation	tentation	Versuchung
[13] irresistible	irresistible	irrésistible	unwiderstehlich
[14] a menudo	often	souvent	oft
[15] en torno a	around	autour de	was...angeht
[16] festejar	to celebrate	fêter	feiern
[17] masía	farmhouse and barn	ferme traditionnelle	Gehöft
[18] inmejorable	unbeatable	exceptionnel	erstklassig

Escalivada

ESPAÑOL	INGLÉS	FRANCÉS	ALEMÁN
[1] berenjena	eggplant	aubergine	Aubergine
[2] anchoa	salted fillet of anchovy	anchois	Anchovi
[3] bandeja	oven tray	plateau	Blech

5. Comunidad Valenciana

ESPAÑOL	INGLÉS	FRANCÉS	ALEMÁN
[1] en honor a	in honour of	en l'honneur de	zu Ehren von
[2] patrón	patron saint	patron	Schutzpatron
[3] carpintero	carpenter	menuisier	Schreiner
[4] quema	burning	brûlage	Verbrennung
[5] denunciar	to denounce	dénoncer	anprangern
[6] pólvora	gunpowder	poudre noire	Pulver
[7] sin duda	without any doubt	sans aucun doute	ohne Zweifel

ESPAÑOL	INGLÉS	FRANCÉS	ALEMÁN
[8] **en su punto justo**	the right degree	à point	genau richtig
[9] **fideo**	noodle	vermicelle	Nudel
[10] **costra**	crust	croûte	Kruste
[11] **tubérculo**	tubercle	tubercule	Knöllchen
[12] **bollo**	bun	brioche	süße Backware
[13] **merecer la pena**	to be worth it	valoir la peine	empfehlenswert sein
[14] **entorno**	local environment	terroir	Umgebung
[15] **manjar**	delicacy	mets	Leckerbissen

Paella

[1] **mejillón**	mussel	moule	Miesmuschel
[2] **azafrán**	saffron	safran	Safran
[3] **colorante**	colouring	colorant	Speisefarbe
[4] **diámetro**	diameter	diamètre	Durchmesser
[5] **blando**	soft	tendre	weich
[6] **jugoso**	juicy	juteux	saftig
[7] **trapo**	cloth	torchon	Tuch

6. Castilla y León, Castilla-La Mancha y Madrid

[1] **cuna**	birthplace	berceau	Geburtsort
[2] **indistintamente**	indistictively	indistinctement	ohne Unterschied
[3] **sobrio**	sober	sobre	schlicht
[4] **contundente**	filling/strong	riche	kräftig
[5] **cereal**	cereal	céréale	Getreide
[6] **garbanzo**	chick peas	pois chiche	Kichererbse
[7] **aparte**	separately	en plus	separat
[8] **boquerón**	fresh anchovy	anchois	Art von Sardine
[9] **croqueta**	croquette	croquette	Krokette
[10] **taurino**	related to bullfighting	taurin	Stierkampf-
[11] **barro**	clay	argile	Ton
[12] **discípulo**	disciple	disciple	Schüler
[13] **aventajado**	outstanding	doué	begabt

ESPAÑOL	INGLÉS	FRANCÉS	ALEMÁN

Tortilla de patata

[1] **hondo**	deep	profond	tief

Pisto manchego

[1] **de vez en cuando**	from time to time	de temps en temps	ab und zu
[2] **guarnición**	side plate	accompagnement	Beilage

Cordero asado

[1] **manteca**	lard	saindoux	Schmalz

Cocido madrileño

[1] **morcillo**	beef from the upper part of the leg	jarret	Rindfleisch (Hüfte)
[2] **gallina**	hen	poule	Huhn
[3] **hueso**	bone	os	Knochen
[4] **panceta**	streaky bacon	lard	Bauchspeck
[5] **ablandar**	to soften	ramollir	aufweichen

7. Andalucía

[1] **embajador**	representative	ambassadeur	Repräsentant
[2] **templado**	warm	tempéré	mild
[3] **con antelación**	beforehand	à l'avance	im Voraus
[4] **especias**	spices	épices	Gewürze
[5] **frutos secos**	nuts	fruits secs	Schalenfrüchte
[6] **olivo**	olive tree	olivier	Olivenbaum
[7] **bellota**	acorn	gland	Eichel
[8] **repostería**	dessert-making	pâtisserie	Konditorei (waren)

Gazpacho

[1] **maduro**	ripe	mûr	reif

actividades

ANTES DE LEER

1. ¿Qué platos conoces de la cocina española? Apúntalos aquí.

2. De todas estas comidas, ¿cuál te apetece más probar?

3. Escribe todos los alimentos que reconoces en las fotografías del libro. ¿Se repite alguno?

DURANTE LA LECTURA

4. Imagina que tienes que hacer un eslogan que define la cocina española hoy. Escríbelo en solo una frase.

5. Completa este mapa conceptual con la información que tienes de Galicia.

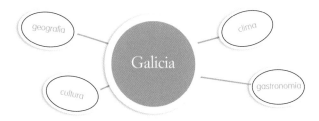

6. ¿Qué relación tienen estas cosas y personas con Asturias? Escribe frases como en el ejemplo:

Los astures eran los primeros habitantes de Asturias. Vivían allí hasta que llegaron los romanos.

7. ¿Existe algo parecido a las sociedades gastronómicas vascas en tu país?

8. ¿Qué te parece la idea de los «platos de mar y montaña» de Cataluña?

9. ¿En qué orden hay que hacer estas cosas para preparar la paella?

>colocar el marisco sobre el arroz   >echar el caldo

>tapar con un paño húmedo   >cortar y salar el pollo

>hacer un sofrito   >retirar el arroz del fuego

>añadir el arroz

10. De los cuatro platos que se presentan para Castilla y León, Castilla-La Mancha y Madrid ¿Cuál te parece mejor para las siguientes ocasiones? ¿Por qué?

>Una comida en un día frío de invierno
>Unas tapas
>Un menú para una persona vegetariana

11. ¿Qué diferencias fundamentales encuentras entre la gastronomía de Andalucía y la de Castilla?

DESPUÉS DE LEER

12. ¿Qué receta del libro te parece más fácil de hacer? ¿Y más difícil? ¿Cuál te apetece preparar?

13. En general, ¿qué impresión te produce la cocina española? ¿Crees que es sencilla, sofisticada, compleja, natural, sana...?

14. ¿Qué cosas interesantes sobre la cultura gastronómica española has aprendido? Escríbelo aquí.

15. ¿Existen costumbres curiosas en tu país relacionadas con la comida? Escribe un breve texto sobre ello.

LÉXICO

16. Completa este mapa conceptual sobre la cocina con las palabras y expresiones que recuerdas del libro:

17. Relaciona cada verbo con su definición:

1) asar	a) mover con una cuchara o similar.
2) pelar	b) extender una sustancia o pasta sobre una superficie.
3) remover	c) eliminar los restos de un líquido.
4) cocer	d) quitar la piel de un alimento.
5) congelar	e) agitar, mover con fuerza para mezclar bien.
6) untar	f) conservar alimentos por debajo de los 0Cº.
7) escurrir	g) freír ligeramente un alimento para impregnarlo de la
8) freír	grasa y los ingredientes con los que se condimenta.
9) batir	h) cocinar un alimento al horno.
10) rehogar	i) cocinar con aceite caliente.
	j) cocinar un alimento en agua muy caliente.

18. Ahora piensa qué alimentos puedes asar, pelar, remover, etc. Fíjate en el ejemplo y haz lo mismo para los otros verbos.

VÍDEO

19. Vas a ver un vídeo sobre cocina. Primero, míralo sin volumen y apunta todo lo que reconoces (ingredientes, utensilios, platos típicos, acciones de la cocina, etc.) .

20. Ahora, vuelve a verlo, esta vez con sonido, y contesta a estas preguntas:

1. ¿En qué ciudad está el restaurante?
2. ¿Cómo se llama?
3. ¿Por qué es un restaurante peculiar?
4. ¿Qué es el rape?
5. ¿Cómo se empana un alimento?
6. ¿Cuántas tortillas hacen al día en este restaurante?
7. ¿Qué es lo más difícil al hacer la tortilla?
8. ¿Qué tienen en común los dados de rape y las croquetas?
9. ¿Cuál es la filosofía de este restaurante?

21. ¿Qué te parece este restaurante y su filosofía? ¿Te gustaría comer allí?

INTERNET

22. De todos los restaurantes que se recomiendan en el libro, escoge cuatro que te parecen interesantes. Luego búscalos en internet. La mayoría tienen una página web. Navega por su página. ¿Qué impresión te da? ¿Cuál te parece más interesante? ¿Qué ventajas e inconvenientes tiene? Prepara una breve presentación en tu idioma para explicarle los resultados de tu búsqueda a alguien que no habla español.